Mühlen in Schwaben

Inhalt

1. Mühlen in Schwaben

Wenn man aufmerksam, vielleicht mit einem kulturgeschichtlich geschulten Blick, Schwaben besichtigt, wird man dank der geographischen Situation auf eine Vielzahl von Flüssen und Bächen treffen und an ihnen, selbst an kleineren Bachläufen, wie aufgereiht an einer Perlenschnur, Mühlen, ehemalige Mühlgebäude oder Mühlstandorte finden. Weit über 1.000 konnten mittlerweile nachgewiesen werden, und es sind sicherlich noch weitere zu entdecken, denn es kam nicht so sehr auf die Größe und Fließgeschwindigkeit des Gewässers an als auf die Technik des Wasserbaus und die künstlich erzeugte Fallhöhe des Wassers, ob der Standort für eine Mühlnutzung geeignet war.
Das wirtschaftlich und gewerblich reiche Schwaben wäre ohne die Mühlen nicht möglich. Sie bildeten in der vorindustriellen Zeit das wichtigste technische Strukturelement für Fortschritt und Entwicklung, und zugleich waren sie die Technologie, an der sich die Erfindungs- und Innovationskraft bewähren konnte. Die Augsburger Mühlentechnologie, sprich Wasserwerke, war seit dem 16. Jahrhundert europaweit berühmt und wurde von Bildungsreisenden besichtigt. Die Wassergeschichte, eigentlich die Mühlengeschichte Augsburgs, bildet die Grundlage für die UNESCO-Weltkulturerbe-Bewerbung der Stadt.
Mühle war bis ins 19. Jahrhundert der Begriff für Maschine; entsprechend weit wurde diese Maschine auch eingesetzt: Mahlen, Hämmern, Stampfen, Sägen, Zerkleinern, Schleifen, Heben. Das englische Wort *Spinning-Mill* (mechanische Spinnerei) zeigt diese Begrifflichkeit noch heute.

Beginnend mit der römischen Mühle in Günzburg und der merowingischen Mühle bei Dasing lassen sich in Schwaben fast 2.000 Jahre Mühlengeschichte dokumentieren.
In den Orten bildete die Mühle in der Regel den teuersten Betrieb. Die Müller waren wohlhabend, angesehen, durch ihre Tätigkeit gut informiert und mächtig und gehörten deswegen zur lokalen Führungsschicht. Eigene Rechtsnormen (Mühlenordnungen) regelten den Betrieb, die Nutzung und die Gebühren. Die noch vorhandenen Mühlengebäude sind ortsbildprägend oder bilden Landmarken.
Sagen, Märchen, Erzählungen und Lieder wissen viel über die Müller zu berichten, die Auseinandersetzungen um Wasserrechte (Hochwasser, Niederwasser) füllen die Archive und sind in die Literaturgeschichte eingegangen.
1861 zählte man in Schwaben 998 Getreidemühlen, 607 Sägemühlen, 224 Ölmühlen, 82 Gipsmühlen, 72 Lohmühlen, 48 Knochenstampfen, 18 Papiermühlen und 19 Walken.[1]
Das Mühlensterben begann mit der Industrialisierung und der Entwicklung neuer Antriebskräfte. Der Konzentrationsprozess seit den 1950er Jahren ließ nur wenige Mühlenstandorte noch bestehen, die heute von landes-, kultur- und technikgeschichtlicher Bedeutung sind und teilweise bemerkenswerte touristische Attraktionen bilden.
Die mit diesem Heft beginnende Reihe zur Geschichte und Kultur der Mühlen in Schwaben will auf die grundlegende wirtschafts- und technikgeschichtliche Bedeutung der Mühlen aufmerksam machen und zu ihrer besseren Wahrnehmung vor Ort anleiten.

Dr. Peter Fassl, Bezirksheimatpfleger

1 Wilhelm Heinrich Riehl (Hrsg.): Bavaria. Landes- und Volkskunde des Königreichs Bayern, Bd. 2, Abb. 2, München 1863, S. 995.

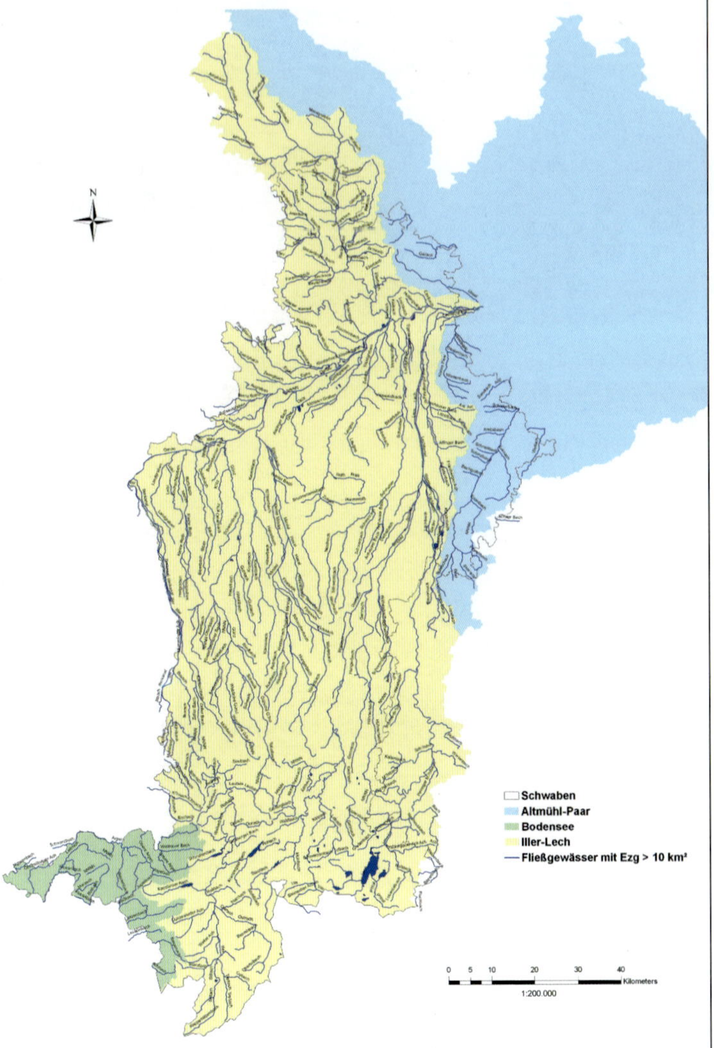

Gewässerkarte von Bayerisch Schwaben

Solche mächtigen Francis-Zwillingsturbinen wurden im frühen 20. Jahrhundert in Gersthofen und Langweid am Lech eingebaut. Auf diesem Foto der Fabrikmontage ist die Verstellmechanik für die zahlreichen Leitschaufeln im Turbinen-Leitapparat zu sehen.

Maschinensaal des LEW-Wasserkraftwerks Gersthofen.

2. Vom Wasserrad zur Turbine

„Bis zum Ende des 18. Jahrhunderts gab es keine wesentlichen Verbesserungen des Wasserrades.“[1] Das Problem bestand darin, „durch Berechnung und Experiment festzustellen, wie die Wasserenergie, die durch die Strömungsgeschwindigkeit und die Fläche des Wassers bestimmt wird, in die Umdrehung eines Wasserrades nutzbar umgesetzt werden kann.“[2] Der Wirkungsgrad des Wasserrades hängt von der Schaufelgröße, der Form der Schaufeln, der Wassergeschwindigkeit und dem Verhältnis der Wassergeschwindigkeit zur Radgeschwindigkeit ab. Eine Steigerung des Wirkungsgrades geschieht vor allem durch die Änderung der Wasserzuführung. Beim unterschlächtigen Wasserrad trifft das Wasser in der Nähe des unteren Radscheitels auf das Rad, beim oberschlächtigen am oberen Radscheitel. Durch die Fallhöhe des Wassers kann der Wirkungsgrad von 32 bis auf 70 % gesteigert werden.

Den nächsten Entwicklungsschritt bildet eine Turbine, wo das Turbinenrad mit schraubenförmig gekrümmten Schaufeln in ein Gefäß aus Eisen und Stahl eingeschlossen ist. In Augsburg wurde um 1835 in der Kattundruckerei von Karl Forster die erste Fourneyron-Turbine eingebaut, die bereits einen Wirkungsgrad von 80 % hatte. Die von Viktor Kaplan seit 1912 entwickelten Turbinen erreichten sogar einen Wirkungsgrad von 96 %.

Alle mit Maschinen arbeitenden Textilfabriken in Augsburg und Schwaben entstanden an Flüssen und Kanälen und wurden über Turbinen mit Wasserkraft betrieben. So entstanden in (industriell) eigentlich abgelegenen Gebirgsorten wie Waltenhofen, Berghofen, Blaichach, Hindelang, Fischen, Sonthofen, Immenstadt und Oberstdorf größere Spinnwebereien, die, soweit sie heute noch stehen, wie Fremdkörper in einer dörflichen Umgebung wirken. Nur durch die günstige Wasserkraft konnte der Standortnachteil der weiten Verkehrswege (Rohmaterial, Abnehmer) bis in die 1950er Jahre ausgeglichen werden.

Doch nicht nur für die Textilindustrie bildete die Wasserkraft eine wichtige Voraussetzung. Ab etwa 1900 begann die Umwandlung zahlreicher Mühlen in reine Energielieferanten, parallel zum Ausbau der Elektrifizierung Schwabens. Das erste größere Wasserkraftwerk wurde 1901 in Gersthofen errichtet und bildete die Voraussetzung für die Gründung des dortigen Chemiewerks von Höchst.

Eine Zusammenschau der wirtschaftlichen Entwicklung der Nutzung der Wasserkraft an den Flüssen, der Elektrifizierung und der Gewerbetradition der Märkte und Städte ergibt eine erstaunliche Übereinstimmung der Gewerbe- und Industriestandorte.

Die raumprägende Kraft der Energienutzung der Flüsse und Gewässer ist für die wirtschaftliche Entwicklung Schwabens grundlegend.

Peter Fassl

1 Joachim Varchmin, Joachim Radkau: Kraft, Energie und Arbeit. Energie und Gesellschaft, Hamburg 1981, S. 50.

2 Ebd.

3. Fluss- und Wasserbau

Mit etwa 6.000 Flachgewässern zählt Schwaben zu den wasserreichsten Gebieten Bayerns. 95 % der Flüsse fließen der Donau zu, 5 % dem Bodensee. Die Hauptfließrichtung ist von den Alpen im Süden zur Donau im Norden. Die Flüsse verlaufen annähernd parallel vom Lech im Osten über die Wertach, Schmutter, Zusam, Mindel, Günz bis zur Iller im Westen. Entsprechend ist das Landschaftsrelief Schwabens geprägt von Tälern, Ebenen und Hügelketten, die in Süd-Nord-Richtung verlaufen. Die Flüsse wurden durch die Flussbauten seit dem 19. Jahrhundert in ein festes Flussbett gezwungen und haben sich in die Landschaft eingegraben.
Für jede Mühle war eine eigene wasserbauliche ortsgerechte Zuführung des Wassers notwendig. Direkt am Gewässer

Karte der Fuggerschen Holzmarkungsbeschreibung 1780. Der Ausschnitt zeigt die Illerzeller am Altenstadter Mühlbach.

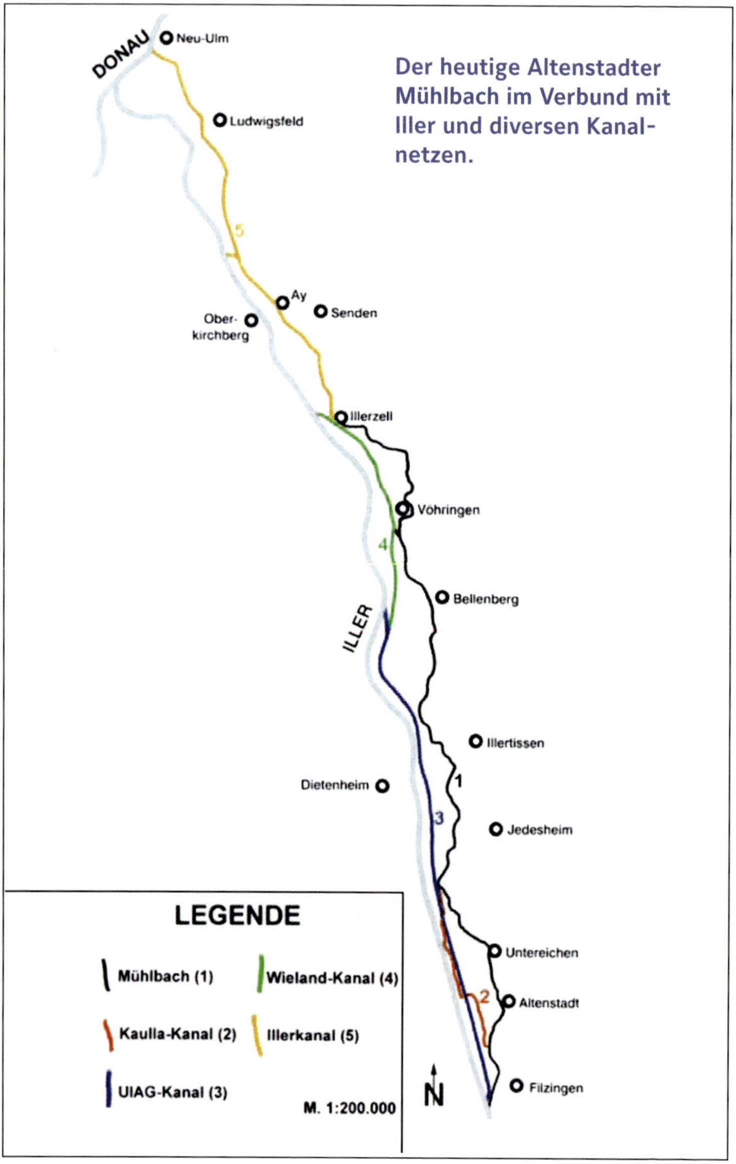

Der heutige Altenstadter Mühlbach im Verbund mit Iller und diversen Kanalnetzen.

konnte man das Mühlgebäude wegen des nicht kontrollierbaren Hochwassers und des Niedrigwassers bei Trockenheit nicht errichten. Die Wasserzuleitung konnte ein Kanal, ein Holzgerinne oder eine sonstige Wasserzuleitung sein, die direkt auf das Mühlrad traf. Der Kanal bot Schutz, eine geordnete Wasserzuführung und die Möglichkeit der Leistungssteigerung durch Ausnutzung des Gefälles. Selbst bei geringem Wasseranfall konnte durch die Fallhöhe des Wassers bei oberschlächtigen Wasserrädern noch eine genügende Leistung erzeugt werden.
Die Fluss- und Wasserbauten boten aber auch den Anlass für Auseinandersetzungen, da die obenliegende Mühle die Möglichkeit hatte, sich durch Absperren des Mühlkanals bei Hochwasser zu schützen und durch Einleiten des Wassers bei Trockenheit und Speichern im Mühlteich die tiefer liegenden Mühlen auszutrocknen. Nachhaltige Flussverbauungen wurden erst mit der technischen Entwicklung seit dem 20. Jahrhundert möglich, doch zeigen die Hochwasser der jüngeren Zeit, dass sich durch die Kanalisierung und Begradigung der meisten Flüsse zur Energie- und Landgewinnung neue Hochwassergefahren ergeben – es fehlen die natürlichen Überschwemmungsgebiete der flussbegleitenden Wiesen und Moore, die Wasser aufnehmen können.

Peter Fassl

4. Mühlentechnik

Unter Mühlentechnik versteht man zuallererst die Mahltechnik einer Getreide- bzw. Mahlmühle. Dabei muss man zwischen Antrieb, Mahlwerk (Mahlgang) und Beutelwerk unterscheiden. Bei einer traditionellen Wassermühle, der häufigsten Mühlenart in Schwaben, erfolgt der Antrieb über ein Wasserrad, das über eine Welle mit einem Zahnrad (Kammrad) verbunden ist, das den Läuferstein im Mahlwerk dreht. Bis auf das Wasserrad, das sich außerhalb im Freien oder in einer Radstube befindet, wird die Konstruktion innerhalb der Mühle angebracht. Um die Wasserzufuhr für das Mühlrad zu gewährleisten und zu regulieren, wurde oft ein Mühlbach oder Mühlkanal angelegt. Der eigentliche Mahlvorgang findet zwischen dem Läuferstein und dem Bodenstein statt, die das Korn zerreiben. Das Getreide wird über einen Trichter (Gosse) und einen rüttelbaren Holzkasten (Rüttelschuh), der den Getreidezufluss reguliert, durch ein Loch im Läuferstein zugeführt. Unter den Mahlsteinen befindet sich ein hölzerner Mantel (Zarge/Larve), der das Mahlgut auffängt. Das darauf folgende Beutelwerk dient dazu, das Schrot vom Mehl zu trennen. Der sog. Beutelkasten, der um das Jahr 1500 aufkam, wird wie der Mahlgang durch das Wasserrad angetrieben und ist eine Sicht- und Siebmaschine. Der Beutelkasten ist über das Mehlrohr mit dem Mahlgang verbunden. Über das Mehlrohr wurde das Mahlgut in den Beutel (tuchener Schlauch) geführt. Durch Vibration des Beutels fällt das feine Mehl durch die Poren in den darunter stehenden Kasten, während andere Getreideteile nach vorne wandern und in einen niederen, offenen Kasten (Vorkasten) fallen, der mit dem Beutelkasten verbunden ist.

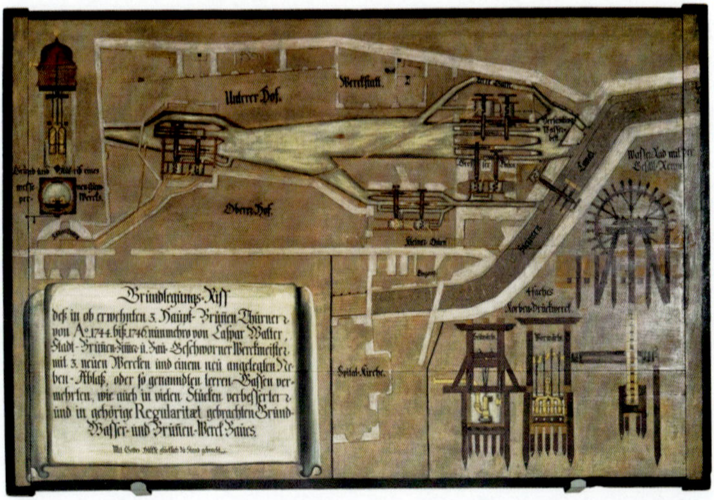

Eine Schautafel im Kleinen Wasserturm zu Augsburg zeigt das parallel verlaufende Bett des Trinkwasser liefernden Brunnenbachs und des Werkskanals. Das unsaubere Wasser aus dem Lochbach floss am Werk vorbei.

Aber nicht nur die Antriebsarten der Mühlen unterlagen dem technologischen Wandel, beispielsweise in Form des Austausches von Wasserrädern durch Turbinen. In durch Dampfmaschinen angetriebenen Mühlen, den sog. Kunstmühlen, wurden durch den Einbau von Walzenstühlen auch komplett neue Mahltechniken entwickelt. Bei den Walzenstühlen stellte man zwei Hartguss- oder später Porzellanwalzen gegenüber, die von Elektromotoren angetrieben wurden. Damit war die Technik der horizontal aufeinander liegenden Mahlsteine überholt, und auch der Beutelkasten entwickelte sich zum sog. Plansichter weiter. Ein Plansichter besitzt mehrere Sieblagen mit unterschiedlicher Bespannung hinsichtlich der Maschenweite, die plan übereinander angeordnet und dicht abgeschlossen sind. Der Plansichter beschreibt eine kreisförmige Bahn, durch die

das Mahlgut sortiert wird. Durch die kreisförmige Bewegung gelangt nicht durchgesiebtes Gut an eine Öffnung an der Seite und tritt aus dem Plansichter aus.
Neben der Mahlmühle gab es noch verschiedene andere Mühlenarten, etwa die Papiermühle. Als Rohstoff für die Papierherstellung benutzte man sog. Hadern, das sind Lumpen, die aus Leinen- und Hanffasern gefertigt waren. Lumpensammler kümmerten sich um die Beschaffung des Ausgangsmaterials und brachten es in die Mühlen. Der erste Arbeitsschritt bestand im Sortieren der Lumpen. Daraufhin wanderten sie in eine Faulgrube, wo der einsetzende Gärprozess die Stofffasern zermürbte. Als Nächstes löste man die Faserstruktur in den Stampfwerken vollständig auf. Dabei war es ein Wasserrad, das die Daumenwelle drehte, die wiederum die Stampfhämmer hochhob. Aufgrund dieser Technologie bekam die Papiermühle ihren Namen. Nach Abschluss des Stampfprozesses wurden die Fasern aufgeschwemmt und daraufhin konnte man auf einem Drahtsieb das fertige Papier schöpfen. Andere Mühlenarten sind die Sägemühle, die Ölmühle (Verarbeitung von Raps, Nüssen und Leinsamen durch Stampfen) und die Lohmühle (Herstellung von Lohe aus Baumrinden zum Gerben durch Stampfen und Mahlen) sowie die Schleifmühle und die Hammerschmiede. Eine Besonderheit bilden die Walkmühlen, die zur Herstellung, Verdichtung und Veredelung von Tuchen dienten. Im 12. Jahrhundert ersetzte man die traditionelle Verarbeitungsart des Stampfens mit den Füßen durch Walkhämmer, die von Wasserrädern angetrieben wurden. Jedoch wurden Walkmühlen auch für die Sämischgerbung von Wildfellen verwendet. Zudem kamen Stampfmühlen im 12. Jahrhundert auf. Sie dienten dem Klopfen von Hanf und Flachs. Die gleiche Funktion hatten auch sog. Pleumühlen.

KATRIN BREU

5a. Brückenmühlen

Nicht immer ist eindeutig, ob der ursprüngliche oder hauptsächliche Zweck einer Brücke, auf der sich eine oder mehrere Mühlen befinden, der Brückenverkehr ist, bei gleichzeitiger Nebenbei-Nutzung der Wasserkraft für die Mühle(n), oder der Mühlenbetrieb durch Nutzung der Kraft des Fließgewässers (Bach oder Fluss). Verständlicherweise wird mitunter davon ausgegangen, dass bestimmte Brücken, vor allem zu Flussinseln, von Anfang an lediglich zum Betreiben von Mühlen errichtet worden sind.

Bei der Brückenmühle handelt es sich um eine Mühle, die in den hölzernen oder steinernen Brückenbau eingebunden ist

Brückenmühlen. Ausschnitt aus dem Kupferstich „LAUGINGEN" von Christoph Senft, 1617.

und als Wassermühle funktioniert. Der Antrieb erfolgt über ein oder mehrere Wasserräder je Mühle. Wenn das Rad – genauer gesagt: der Wellbaum – über eine Mechanik (Kumpfgeschirr oder einfach nur Kumpf genannt) angehoben oder gesenkt und so dem jeweiligen Wasserstand angepasst werden kann, bezeichnet man es als Pansterrad.

Sehr oft sichern Vorbauten die Brückenmühle(n): Floßrechen, Pfostenreihen, Schrägstreben (etwa als Eisbrecher), Brückenkästen oder Pfeilerverstärkungen.

Brückenmühlen waren im Europa der Neuzeit allgemein verbreitet; als ganzer Brückenmühlenkomplex, d.h. als Verbindung mehrerer Mühlen auf einer Brücke, sind sie jedoch selten. In dem sechsbändigen Tafelwerk „Beschreibung und Contrafactur der vornembsten Stät der Welt" von Georg Braun und Frans Hogenberg (Köln, 1572–1618) sind nur ca. ein Dutzend Brückenmühlenkomplexe zu finden.

Die Lauinger Donaubrücke ist im vierten, 1596 erschienenen Band des Werkes mit zehn Mühlen auf ihr bildnerisch dokumentiert (S. 45), neben Brückenmühlen in Straßburg (Bd. I, S. 34), Straubing (I, S. 42), Zürich (III, S. 44; zehn Brückenmühlen auf zwei Brücken), Breslau (IV, S. 42) und Lodz (VI, S. 51).

Auch Christoph Senft hat in seinem farbigen Kupferstich „LAUGINGEN" aus dem Jahr 1617 diese Mühlenbrücke bzw. Brückenmühlen sehr anschaulich festgehalten (s. Abb. S. 15).

Zum Lauinger Brückenmühlenkomplex ist im Raum Bayerisch Schwaben bislang keine Entsprechung nachweisbar. Erst im europäischen Vergleich werden Art und Bedeutung dieser Anlage deutlich. Als nächstgelegener Brückenmühlenkomplex ist erst die Konstanzer Brücke mit ihren Mühlen eindeutig belegt.

Georg Abröll

5b. Schiff(s)mühlen

Eine Schiffmühle oder auch Schiffsmühle ist eine Wassermühle, die auf einem im Wasser schwimmenden Holzfloß oder Schiffskörper steht, im Fluss zumeist an der strömungsintensivsten Stelle fest verankert ist, auch an Brückenpfeilern oder vertäut am Ufer, und durch das fließende Gewässer über Mühlräder angetrieben wird. Sie bestand meistens aus einem Hausschiff, zum Ufer hin gelegen, mit einem Holzhaus für den Müller und seine Gehilfen sowie dem Mahlwerk, und einem kleineren Wellschiff, das den Wellbaum auf der gegenüberliegenden Seite trug. Beide waren mit Spannbalken verbunden, die gleichzeitig als Laufstege dienten. Zwischen beiden Kähnen drehte sich das breite, große Wellrad, womit das Kammrad und damit die Mühlsteine in Bewegung gesetzt wurden. Eine andere und vermutlich ältere Konstruktion bestand aus einem breiten, flachen Schiffsrumpf mit zwei Schaufelrädern an den Seiten.

Weil die Mühle auch bei wechselnden Wasserständen auf der Oberfläche aufschwimmt, steht ihr permanent dieselbe Wasserenergie zur Verfügung, sodass sie durchgehend als Maschine arbeiten kann. Trotz Verankerung im Wasser war die Schiffsmühle auch mobil. Bei Bedarf, etwa bei starkem Schiffsverkehr, bei Flößerei, bei Treibeis, bei niedrigem Wasserstand oder gar bei reißendem Hochwasser, konnte man sie rechtzeitig an das sichere Ufer oder mit Pferden auch flussaufwärts ziehen.

In Europa ist der Anfang der Schiffsmühle im 6. Jahrhundert zu finden. Im Jahr 537 n. Chr. unterbrachen die Ostgoten, die unter Witichis Rom belagerten, die 14 Aquädukte, die die

Stadt mit Wasser versorgten, darunter die Trajanische Wasserleitung, die die Mühlen am Ianiculum in Trastevere antrieb, die ihre Tätigkeit deswegen einstellen mussten. Weil der Stadt aus diesem Grund eine Hungersnot drohte, kam der belagerte oströmische Feldherr Belisar auf die Idee, die Mühlen auf Barken auf den Tiber zu bringen und sie dort auf den verankerten Schiffen mittels unterschlächtiger Räder vom durchströmenden Wasser des Flusses antreiben zu lassen. Später verbreitete sich dieser Mühlentyp über Europa.

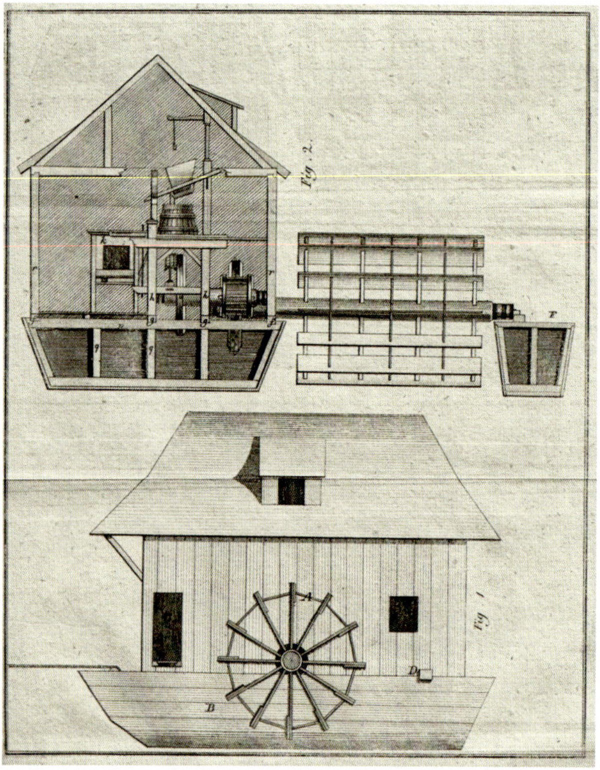

Zeichnung einer Schiffmühle nach Heinrich Ernst, Anweisung zum Praktischen Mühlenbau, Leipzig 1805, Grafik Tafel Nr. VIII. Links das Hausschiff, rechts das Wellschiff; dazwischen das große Wasserrad; im Hausschiff ist die Mühlentechnik untergebracht.

So wird von einer solchen Mühle im Jahr 840 in Straßburg berichtet.

Am 22. Januar 1805 stand die Donau-Schiffsmühle zu Zirgesheim (heute Lkr. Donau-Ries) mit einem Mahl- und einem Gerbgang samt dem Mühlwerkszubehör wegen dringender Bezahlung von Gläubigern zur Versteigerung an und am 22. Juli 1824 auch die zum Kgl. Rentamt Kaisheim gültbare Mahlgerechtsame zu Leitheim an der Donau (ebenfalls heute Lkr. Donau-Ries) samt den zur Erbauung der Schiffsmühle vorhandenen Materialien. Auch in Altisheim (Lkr. Donau-Ries) gab es eine Schiffsmühle.

Die Trassmühle in Neu-Ulm, von dem Ingolstädter Zimmermann Josef Ulrich 1844 als Schiffsmühle gebaut, wurde im selben Jahr auf der Donau in der Nähe des Augsburger Tors verankert. Sie diente zum Mahlen des Steinmehls als Bindemittel für den damaligen Festungsbau. Danach, ab 1850, arbeitete sie als Getreidemühle weiter. 1860 transferierte man sie als festes Gebäude gegenüber der Friedrichsau an Land; allerdings wurde ihr Betrieb bald eingestellt. Die beiden Mühlräder verblieben noch bis 1903 in einem Gestell von Pfählen, die man in die Donau gerammt hatte. 1957 wurde das Mühlengebäude abgebrochen.

Wie die üblichen Wasser- und auch Windmühlen waren sie im Besitz von Landesherren oder Klöstern, und somit war auch die rechtliche Situation (Mühlenrecht) geregelt.

Historische Schiffsmühlen haben sich in Mitteleuropa nicht erhalten, da sie für die zunehmende Flussschifffahrt Hindernisse darstellten und ihre hölzerne Konstruktion durch den ständigen Wasserkontakt meistens nach 35–50 Jahren marode war.

Georg Abröll

6. Mühlenrecht

Das Recht zum Bau und zum Betrieb einer Mühle bezeichnet man als Mühlenrecht, Mühlengerechtigkeit oder auch Mühlengerechtsame.
Eine Mühle konnte nur mit Genehmigung des jeweiligen Grundherren errichtet werden. Dies basierte auf der Grundherrschaft und dem damit verbundenen Recht zur Verfügung über den Boden und die auf ihm stehenden Anlagen; so gab es beispielsweise auch eine Braugerechtigkeit, eine Taferngerechtigkeit oder eine Schmiedegerechtsame.
Die Landesherren, Städte, Kirchen und Klöster besaßen also das Mühlenrecht in ihren jeweiligen Gebieten. Über das Lehenswesen konnten sie es an andere Personen weitergeben und dafür einen Mühlzins verlangen bzw. eine Pacht erheben.
Je nach Art der Mühle gab es etwa eine – oft mit dem Adjektiv „radiziert" (= mit dem Grund bzw. dem Anwesen verwurzelt) genauer bezeichnete – Mahlmühlen-, Säg(e)mühlen-, Ölmühlen-, Bleicher- (wie bei der Lohmühle, Garnsiede und Bleiche in Illertissen, Lkr. Neu-Ulm) und Papierergerechtigkeit (wie bei der Schachenmayrschen Papiermühle in Kempten). Die Bruckmühle in Harburg (Lkr. Donau-Ries) besaß laut Urkataster von 1835 reale Mahl-, Säg- und Ölmühlengerechtigkeit in einem; außerdem befand sich in der Säg- und Ölmühle noch eine Loh- und Walkmühle. Die Klausenmühle in Kleinweiler (Gem. Weitnau, Lkr. Oberallgäu) war 1835 ein Bauerngut, das neben der Mahl- und Sägmühlengerechtigkeit auch noch die Branntweinbrennereigerechtigkeit innehatte.
Der Platz einer Mühle war ein eigener Rechtsraum und wurde durch den Mühlenfrieden besonders geschützt. Die Rech-

te und Pflichten des Müllers regelte vor allem eine Mühlenordnung.
Mitunter war das Mühlenrecht mit dem sog. Mühlenzwang oder Mühlenbann verbunden, einem grundherrlichen Gewerbebannrecht, das Kaiser Friedrich Barbarossa 1158 per Gesetz geschaffen hatte. Der Mühlenzwang verpflichtete alle Untertanen eines Grundherrn, ihr Getreide ausschließlich in der Zwang- oder Bannmühle mahlen zu lassen, was sowohl dem Grundherrn als auch dem Müller – allerdings vom jährlichen Ertrag der Getreideernte abhängig – mehr oder weniger gleichbleibende und zumindest für den Grundherrn mitunter überhöhte Einkünfte sicherte. Auch sollte dadurch ein ruinöser Wettbewerb zwischen benachbarten Mühlen verhindert werden. Verstöße gegen den Mühlenzwang ahndete man durch Strafen. Mit Einführung der Gewerbefreiheit im 19. Jahrhundert wurde dann das Bannrecht abgeschafft, in Österreich bereits 1789 unter Kaiser Joseph II.
Bann- bzw. Zwangmühlen in Bayerisch Schwaben waren beispielsweise die Beurer Mühle (Gem. Pfaffenhofen an der Roth, Lkr. Neu-Ulm), die Bichelmühle in Bichel (Gem. Wasserburg, Lkr. Lindau am Bodensee), die Wiesmühle in Bayersried-Ursberg und die Thalermühle in Ichenhausen sowie die Mahlmühle in Neuburg an der Kammel (alle drei Lkr. Günzburg), die Stehlenmühle in Buttenwiesen (Lkr. Dillingen an der Donau) oder auch die Ober- sowie die Mittelmühle in Altenstadt (Lkr. Neu-Ulm).
Eng verknüpft mit dem Mühlenrecht war das dazugehörige Wasserrecht, das ebenfalls dem Grundherrn gehörte und das die Nutzung des Gewässers für den Betrieb der Wassermühle regeln sollte. Der Umfang der Nutzung war durch die Festlegung von Breite und Tiefe des Gewässers bestimmt. Sie er-

folgte durch eine amtliche Normierung der Breite des Mühlendamms oder des obersten Balkens des in den Fluss gebauten Wehrs, hinter dem sich das Wasser anstaut. Die Höhe des Wasserstands, bis zu der die Stauung geschehen durfte, fixierte ein senkrecht in den Fluss eingerammter Eichpfahl. Weil Hochwässer die Eichpfähle immer wieder wegrissen, musste ihre Lage amtlicherseits genau protokolliert werden.

GEORG ABRÖLL

Die Katzbruimühle in Katzbrui (Gde. Apfeltrach), 2007.

7. Mühlenordnungen

Mühlenordnungen sind rechtliche Dokumente, die Vorschriften für den ordentlichen Betrieb einer Mühle enthalten. In ihnen finden sich Regelungen, die den Mühlen- und Wasserbau sowie das gesamte Mühlenwesen betreffen. Sie waren keine überall rechtskräftigen Dokumente, sondern galten nur für bestimmte Gemeinden oder Gegenden, waren jedoch Teil des jeweiligen Landrechts.

Im Jahre 1400 erließen Bürgermeister und Stadtrat von Günzburg neue Mühlvorschriften, die bislang als eine der ältesten gelten. In ihnen sind u.a. die fälligen Geldstrafen für unrichtiges Wiegen und Messen festgesetzt. Bereits im Langenmantel-Urbar von etwa 1360 war der Mahllohn für den Müller festgehalten worden.

1563 erließ das Hochstift Augsburg für seine Mühlen eine Mühlenordnung, in der bis ins kleinste Detail, mit Angabe von Maßen, niedergeschrieben war, wie die einzelnen Bestandteile des Mahlwerks beschaffen und zueinander gefügt sein sollten. Eine solch genaue Festlegung findet sich auch in der Mühlenordnung, die das Kloster Ottobeuren mit Datum vom 31. Januar 1783 für die zu seiner Herrschaft gehörenden Mühlen erließ.

Am 3. Dezember 1588 kam es zu einem sog. „Milbrieff zwischen ainer ganzen gemeindt zu Haslach [Langenhaslach, heute Lkr. Günzburg] und dem miller daselbst [...]", in dem Regelungen getroffen wurden, die im Wesentlichen den üblichen Mühlenordnungen entsprechen.

In der Mühlenordnung von 1600 für die Riedmühle in Hausen (heute Lkr. Günzburg) war bestimmt, dass der Müller einen

Zumüller, einen Handknecht und einen Karrenführer beschäftigen musste und dass bei den alljährlichen Mühlvisitationen durch das Kloster die Siebe, Kästen, Staubleinen und Beutel nicht schadhaft sein durften. Das Kloster übernahm den Jahreslohn für die Mühlknechte zu zwei Dritteln; für das weitere Drittel hatte der jeweilige Müller aufzukommen.

Wegen etlicher Beschwerden von Mahlkunden gegen die Mühleninhaber und umgekehrt setzte das markgräfliche Oberamt Günzburg am 21. Mai 1762 eine genaue Mühlenordnung fest, die 39 Punkte sowie weitere sieben Punkte speziell zum Lohn umfasst.

Im Juli 1770 erließ die Obrigkeit eine neue Mindelheimer Mühlenordnung, die auf 36 Seiten 26 Punkte auflistet und im Unterschied zu derjenigen von 1589 insbesondere auf den Mahlkunden ausgerichtet war. In den ersten neun Artikeln geht sie detailliert auf den notwendigen technischen Zustand einer Mahlmühle ein. In Artikel 11 wurde geregelt, was noch heute als Sprichwort bekannt ist: „Wer zuerst kommt, mahlt zuerst." Lediglich diejenigen Mahlkunden, die den weitesten Anreise- bzw. Rückweg hatten, sollten einen gewissen Vorzug erhalten. In Artikel 14 wurde bestimmt, dass alles an Getreide ausnahmslos nicht mehr durch Hohlmaße gemessen werden sollte, sondern gewogen werden müsse. In Artikel 24 steht, dass der Müller als Entlohnung für seine Mahltätigkeit nicht mehr einen Naturalanteil am gemahlenen Getreide erhält, sondern eine Bezahlung in Geld, was den Müllern entgegenkam; so sollte der Müller für 100 Pfund Weizen 9 Kreuzer als Vergütung erhalten, für 100 Pfund Dinkel 8 Kreuzer, für 100 Pfund Gerste 6 Kreuzer und für 100 Pfund Haber 5 Kreuzer. Wenn der Mahlkunde beim Mahlen nicht mitarbeite, sondern sein

Des
Heil. Röm. Reichs freyen Stadt
Memmingen
Müller- und Mühlen-
Ordnung/
samt angehenckten Articuln
die
Mühlen-Schau
betreffend.

Druckts, Dav. Hummels seel. Witt. Ao. 1740.

Titelblatt der Müller- und Mühlenordnung samt Artikeln der Mühlenschau der Freien und Reichs-Stadt Memmingen von 1740.

Getreide nur abliefere, dann solle der Müller pro Zentner Mehl 1 Kreuzer mehr erhalten. Diese Mühlenordnung galt bis 1837, als eine in Details geänderte neue erlassen wurde.

Georg Abröll

8. Streit- und Gerichtsfälle

Wie überall im Leben blieben auch im Bereich des Mühlenwesens Streit- und Gerichtsfälle nicht aus, etwa zwischen Landesherren:

So wurde im Jahr 1282 der Marschalk Hiltbrand von Pappenheim-Biberbach im Rahmen eines Schiedsverfahrens dazu verpflichtet, die von ihm erbaute Mühle in Biberbach (heute Lkr. Augsburg), die der Furtmühle (bei Biberbach) des Augsburger Domkapitels schädlich war, abzubrechen und dort keine Mühle mehr zu errichten.

Am 19. März 1412 verkauften die Brüder Jörg, Heinrich und Veit von Schmiechen auf Helmishofen sowie Hans und Caspar von Waal für 502 Rheinische Gulden der Stadt Kaufbeuren die Espanmühle. Da dieser Verkauf ohne Wissen und Willen von Kaiser und Reich erfolgte, erkannte Kaiser Sigismund den Handel nicht an; er belehnte stattdessen mit Urkunde vom 29. September 1431 den Schreiber des Herzogs Wilhelm von Bayern, Friedrich Aichstetter, mit der Mühle, woraufhin es zwischen der Stadt Kaufbeuren und Aichstetter zum Streit um die Mühle kam und Kaiser Sigismund Jakob Truchseß von Waldburg, Reichslandvogt von Schwaben, zum Richter in diesem Fall ernannte. Der Landvogt verlieh dann am 21. Mai 1432 im Namen des Königs die Espanmühle den Kaufbeurer Bürgern Hans Angerer und Hans Kräler als Lehensträgern der Stadt.

1669 gruben bei einem Mühlbachstreit zwischen der Herrschaft Vöhlin und den aufwärts gelegenen Rechberg von Illereichen die letzteren den Vöhlin das Mühlbachwasser ab. Der dadurch bedingte längere Wassermangel hatte für die

Obere Mühle zu Jedesheim (heute Lkr. Neu-Ulm) zur Folge, dass sie den ordentlichen Betrieb nicht mehr aufrechterhalten konnte und verfiel.
Auch zwischen Obrigkeit und Müller kam es mitunter zu Zwistigkeiten: 1667 strafte man den Stadtmüller Michael Seybold zu Babenhausen (heute Lkr. Unterallgäu) mit 50 Gulden ab, da in seinem Mehl Sand entdeckt worden war. Weil er jedoch jegliche Schuld von sich wies, erging ein Zwischenbescheid, durch den alle Mühlknechte verpflichtet wurden, dem Meister die Strafe zu ersetzen; falls jedoch einer der Mühlknechte sich von der Mitschuld freimachen könnte, sollte er losgesprochen werden.
1686 änderte der Ichenhausener Müller Johann Konrad Hindermayr eigenmächtig die Mühlenordnung, was zu einem Streit zwischen ihm und dem Bürgermeisteramt sowie der Bürgerschaft führte. Nach einer Abstimmung der gesamten Bürgerschaft wurde am 18. Februar 1688 beschlossen, der Müller solle sich an die Mühlenordnung halten, die er bei seinem Antritt vorgefunden habe und nach der er bislang verfahren sei.
Schließlich konnte es auch unter Müllern oder zwischen Müller und Bauern zu Konflikten kommen, wobei es oft genug darum ging, dass die eine Seite durch Aufstauen oder Abgraben des Wassers der anderen Seite schadete: Das Wasserrad der Holzmühle (Obere Mühle) in Woringen (heute Lkr. Unterallgäu) wurde durch den Schebelinsbrunnen angetrieben, einen kleinen Bach, der durch das oberhalb der Mühle gelegene Flurstück Schebelo floss, wo der Müller Äcker und Wiesen besaß. Weil der Schebelinsbrunnen von den Bauern zum Wässern ihrer Felder benutzt wurde und es deshalb hin und wieder vorkam, dass das Wasserrad der Mühle stillstand, wandte sich der

Müller an seinen Herrn, den Junker Walter Möttelin, und bat um Hilfe. Ein Schiedsgericht befand dann 1471, dass die Bauern ausschließlich im Monat April den Bach zum Bewässern ihrer Felder nutzen dürfen.

1744 trug sich der Bauer Hans Jerg Hüber mit der Absicht, seine soeben erst erworbene und stillliegende Ölmühle in Woringen auszubauen. Aber schon am 7. Juli 1744 geriet er in Streit mit dem Müller von Dickenreishausen (heute Stadt Memmingen) wegen des Wassers der Buxach, das Hüber angeschwellt hatte, woraufhin das Wasserrad der Dickenreishausener Mühle stillstand. Allerdings konnte der Streit in einer Verhandlung beim Unterhospital zu Memmingen beigelegt werden.

GEORG ABRÖLL

Plan aus dem Rechtsstreit zwischen Erhart Vöhlin und Erasmus Roth zu Illerrieden vor dem Reichskammergericht wegen Uferverbauungen an der Iller 1551. Oben rechts die Vöhringer Mühle.

9. Mühlen in der Antike und im Frühmittelalter

Notwendig wurden die Getreidemühlen durch den Übergang des Menschen vom Jäger- und Sammlertum zum Ackerbau, der ungefähr in der Zeit von 10.000 bis 7.000 v. Chr. stattfand. In der Antike entwickelte man die steinzeitlichen Reibemühlen weiter und ging zum kreisförmigen Mahlvorgang über, bei dem man einen Läuferstein mit Handgriff kreisförmig über eine steinerne Unterlage drehte. Die sog. Hand(dreh)mühle geht als Erfindung wohl auf das frühkeltische Spanien zurück. Bei den Römern gab es bereits die Unterscheidung zwischen der handlichen Form der Handmühle, den Rundmühlen, die, um unterwegs Brot backen zu können, zur Standardausrüstung einer jeden Zelt- und Stubengemeinschaft einer römischen Legion gehörte und die bereits um circa 200 v. Chr. in Gebrauch kam, und größeren Maschinerien, in denen mehr Mehl gemahlen werden konnte. Bis ins Mittelalter hinein und in Südost-Europa teilweise auch bis 1900 verrichteten die kleineren Handmühlen ihren Dienst in Haushalten.

Das Mahlen war eine körperlich anstrengende Arbeit und wurde oft von Sklaven verrichtet. Verordnungen über sog. Mühlsklaven kamen in der Antike immer wieder vor. Erst mit dem Einzug des christlichen Gedankenguts schien diese Sitte zurückzugehen. Gegen Ende des 4. Jahrhunderts berichtet Ausonius, dass nicht einmal mehr Verbrecher zu Mühlenstrafen verurteilt würden. Mühlen wären demnach nur noch von freien Menschen betrieben worden.

NEPTV
SACR
MOLIN

Wassermühlen gelten als die Nachfolger der kräfteraubenden Handmühlen, die der Menschen- oder Tierkraft bedürfen. Ihren Ursprung fanden die ersten durch Wasserkraft angetriebenen Kornmühlen angeblich in Griechenland um 50 v. Chr. Berühmt für seine Beschreibung der Wassermühlen ist der römische Architekt Vitruv (1. Jh. v. Chr.), der ihre Bauweise und Mechanik in seinem Werk *De architectura libri decem* (dt.: Zehn Bücher über Architektur) erklärt. Eine der ältesten Wassermühlen in Schwaben, die durch einen Altarstein belegt ist, stammt wohl aus der Zeit des späten 2. oder 3. Jahrhunderts n. Chr. und befand sich in Günzburg. Die Inschrift des Weihesteins, *NEPTV(no) SACR(um) MOLIN(arii)*, bedeutet dabei: Dem Neptun (haben) die Müller ein Opfer (gebracht). Weitere Beispiele für Wassermühlen in Schwaben sind die 1993/94 bei Dasing an der Paar gefundenen Überreste einer römischen und einer merowingischen Wassermühle, daneben noch die einer karolingischen Mühle. Die gefundenen Eichenpfähle der römischen Wassermühle konnten auf eine Zeit zwischen 103 und 112 n. Chr. datiert werden. Der Rekonstruktionsentwurf der römischen Wassermühle entspricht dabei den Beschreibungen des Vitruv.

Auch Sägemühlen sind bereits seit dem 4. Jahrhundert bekannt. Sie wurden mit Wasserkraft betrieben und waren für das Zersägen von Baumstämmen verantwortlich. Endprodukte waren Bretter, Dielen, Planken und Balken.

KATRIN BREU

Links: Ein dem Wassergott Neptun geweihter Altarstein römischer Müller von Günzburg, der im Frühjahr 1784 „Am Ranken", dem Hauptarm der Günz, nach dem Ablauf der großen Schmelzwasser zutage trat.

10. Mühlen im Mittelalter

Vor allem im Mittelalter tat sich in der Mühlenentwicklung einiges. Belegt ist eine Weiterentwicklung der Wassermühle, die in Urkunden des 12. und 13. Jahrhunderts oft unter den Bezeichnungen *aquimollia, aquimoli, aquismoli* und *aquimolae* auftaucht, erst wieder im 9. und 10. Jahrhundert zur Zeit der Städtebildung und damit der Herausbildung einer nicht in der Landwirtschaft tätigen Konsumentengemeinschaft. Später, im 11. und 14. Jahrhundert, zur Zeit der großen Rodungswellen, wurden die Wassermühlen aufgrund der neu gewonnenen agrarischen und siedlerischen Nutzfläche wieder wirtschaftlich interessant. Die neue Technik der oberschlächtigen Wasserräder ermöglichte eine erhebliche Leistungssteigerung.

Im Hochmittelalter kamen auch die Windmühlen langsam auf. Windmühlen waren eher für weite, flache Ebenen oder hügeliges Gelände gedacht, während man Wassermühlen vornehmlich in Mittelgebirgen baute. 1222 wurde die erste Bockwindmühle in Deutschland erwähnt: Sie stand auf der Kölner Stadtmauer.

Seit dem 11. Jahrhundert sind sog. Zwang- und/oder Bann-Mühlen belegt. Hierbei handelte es sich um herrschaftliche Mühlen, bei deren Nutzung die Untertanen Abgaben an die Landesherren liefern mussten. Gleichzeitig aber war es ihnen verboten, andere Mühlen zu benutzen. Die Bannmühlen gehörten geistlichen oder weltlichen Territorialherren, die um ihre Mühlen einen sog. Bannkreis errichteten, in dem keine anderen Mühlen gebaut werden durften. Vor allem Klostermühlen waren für wirtschaftliche und technische Möglich-

keiten von zentraler Bedeutung. Bei den Zisterziensern wurde auch festgeschrieben, dass das Kloster an einem Bach gelegen sein musste. In Oberschönenfeld und Kaisheim wurden die Bäche durch den ummauerten Klosterbezirk geführt und betrieben eine Mühle. Das früheste Beispiel für eine Klostermühle findet sich auf dem Klosterplan von St. Gallen (um 800), das sich im historischen Herzogtum Schwaben befand. Zu den ältesten Mühlen gehören zudem die Geswellmühle in Adelzhausen (Lkr. Aichach-Friedberg) von 782, die dem Kloster Fürstenfeld zu eigen war, und die Mathesmühle in Gosheim, die ihre Ersterwähnung 793 fand, als sie dem Hochstift Freising, das die dichteste Überlieferung zu Mühlen in Bayern hat, geschenkt wurde.
Zum weiteren Nutzungsspektrum von Mühlen gehörte die Papierherstellung. Die Papiermühle kam in Europa im 12. Jahrhundert auf; sie stammte ursprünglich aus China. Die erste europäische Papiermühle stand in Valencia. Die älteste belegte Papiermühle in Schwaben ist die Papiermühle Kaufbeurens, die 1312 zum ersten Mal erwähnt wird. Zudem bestand die Papiermühle in Babenhausen bereits im 14. Jahrhundert. Hinzu kamen wasserradbetriebene Eisenhämmer mit Blasebalg. Auch Senfmühlen waren eine Erfindung des Mittelalters – ab dem 10. Jahrhundert wurde Senf in mitteleuropäischen Gebieten angebaut. Im 15. Jahrhundert betrieben Mühlräder die Hebetechnik für die Trinkwasserversorgung der Augsburger Oberstadt.

KATRIN BREU

11. Mühlen in der Frühen Neuzeit

Die Frühe Neuzeit brachte weitere Schritte in der Entwicklung der Mühlentechnik. Im 16. Jahrhundert konstruierte man in den Niederlanden einen Windmühlentypus, den man Holländer oder auch Holländerwindmühle nannte. Diese Mühlenart prägt noch heute das Landschaftsbild der Niederlande. Einen bedeutsamen Sprung gab es beim Wassermühlenbau im 15. und 16. Jahrhundert, als man von den kleinen Familienmühlen zu größeren gewerblichen Mühlen überging. Die Wirkungskraft der Mühlen konnte durch eine Weiterentwicklung der Schaufelflächen bei oberschlächtigen Wasserrädern bis auf 75% gesteigert werden. Eine weitere Erfindung der Frühen Neuzeit war die Zichorienmühle. Aus der Wurzel der Zichorie bzw. Wegwarte wurde seit dem 18. Jahrhundert Ersatzkaffee hergestellt.

Mühlen waren häufig ein Ort von Tragödien. Das gilt vor allem für die Zeit des Dreißigjährigen Krieges (1618–1648), der überall Schrecken verbreitete. Oftmals wurden die Mühlen von der marodierenden Soldateska vollständig zerstört und der Müller und seine Familie dabei getötet. Aber auch die zeitgleich umgehende Pest suchte die Müllersleute heim. Manche starben, andere verließen mit ihrer Familie die Mühle, um in sicherere Gegenden zu ziehen. Die Mühlen waren verlassen und verfielen.

Man kann etliche Beispiele für das traurige Schicksal der bayerisch-schwäbischen Mühlen im Dreißigjährigen Krieg aufzählen. Mühlen wie die Erkheimer Mühle wurden während des Krieges zerstört, später aber wieder aufgebaut. Der Müller der Erkheimer Mühle fand 1637 durch den Krieg den Tod.

Votivbild von einem am 8. Januar 1778 in der Spitalmühle von Amendingen geschehenen Unfall mit noch glücklichem Ausgang.

Es dauerte fast 40 Jahre, bis 1675, bis die nur noch aus Ruinen bestehende Mühle wieder aufgebaut wurde. Ein ähnliches Schicksal erfuhr die Riedmühle in Hausen, die erst 1681 durch das Kloster Elchingen neu errichtet wurde. Aber nicht jeder Neubau ist gewissenhaft durchgeführt worden. Die Untere Mühle in Bobingen wurde am Ende des Dreißigjährigen Krieges durch den letzten Einfall der Schweden und Franzosen zerstört. Die darauf von Leonhard Reitmeyer errichtete Sägemühle wird erstmals 1660 erwähnt, wird aber bereits zehn Jahre später als völlig baufällig beschrieben. Weniger Glück als die bisher genannten Mühlen hatte die vergleichsweise junge Obermühle in Altenstadt, die erstmals 1541 urkundlich dingfest ist und nach ihrer Zerstörung im Dreißigjährigen Krieg nicht mehr aufgebaut wurde. Besonders deutlich zeigt das Beispiel der Unteren Mühle in Deinigen, welchen Schaden die Soldaten im Krieg anrichteten. Bei einer Brandschatzung in der Scheune der Unteren Mühle durch durchziehende Soldaten im Jahre 1629 starben vier Kühe, acht Kälber, 39 Schafe und 60 Gänse. Zudem verlor man 25 Fuhren Heu, zwei Wagen und alle landwirtschaftlichen Geräte.

Viele der einsam im Wald gelegenen Mühlen waren zudem ein lohnendes Ziel für Räuber. Räuberbanden waren vor allem im 18. und 19. Jahrhundert weit verbreitet und suchten nach ihren Überfällen Zuflucht im Wald oder in einem anderen Territorium.

Katrin Breu

12. Mühlen und Wasserenergie im 19. und 20. Jahrhundert

Den größten Fortschritt in der Mühlentechnik machte man im frühen 19. Jahrhundert. Damit ging ein grundlegender Wandel in der Technik einher. Die typischen Erkennungsmerkmale wie Wasserräder und Windmühlenflügel wurden nun durch Dampfmaschinen, Turbinen und Elektromotoren ersetzt. 1824 entwickelte der französische Ingenieur Claude Burdin ein neues Prinzip des Wasserrades, von dem er ab 1826 als „Turbine" sprach. Doch erst sein Schüler Benoît Fourneyron schaffte es, 1833 eine funktionstüchtige Turbine zu bauen. Ab Mitte des 19. Jahrhunderts übernahmen die Turbinen, die bis zu diesem Zeitpunkt weiterentwickelt wurden, den Antrieb von Wassermühlen. Die größte Verbreitung fand die Francis-Turbine, entwickelt 1849 von dem amerikanischen Ingenieur James Bicheno Francis .

Auch in den schwäbischen Mühlen wurden diese Francis-Turbinen am häufigsten benutzt. Beispiele dafür sind die Singoldmühle, deren E-Werk mit einer Francis- und einer Ossberger-Turbine ausgestattet ist, sowie das heutige Kraftwerk der Wennenmühle in Alerheim mit einer Francis- und einer Kaplan-Turbine. Allgemein kann man feststellen, dass an der Wende vom 19. zum 20. Jahrhundert die meisten schwäbischen Wassermühlen mit Turbinen ausgestattet wurden. Die ersetzten Wasserräder baute man daraufhin ab oder beließ sie als Zierde. Die Turbinen und Generatoren produzierten viel überschüssige Energie, mit der die Umgebung versorgt werden konnte. So wurden die Mühlen zu kleinen Elektrizitätswerken.

Neben den Wasser- und Windmühlen gab es noch sog. Kunst- oder Dampfmühlen, die durch Dampfmaschinen angetrieben wurden. Die Erfindung der Dampfmaschine reicht in das frühe 18. Jahrhundert zurück, doch die erste automatisierte Mühle wurde erst 1785 von dem Amerikaner Oliver Evans konstruiert. Zur gleichen Zeit experimentierte man mit Verbrennungsmotoren. Den ersten funktionstüchtigen, durch Leuchtgas betriebenen Gasmotor entwickelte Étienne Lenoir jedoch erst 1860. 1884 fügte Nikolaus August Otto eine elek-

trische Zündung hinzu. Dieser Motor gilt als Grundlage für die nach wie vor verwendeten Verbrennungsmotoren. Sie lösten bald die Flügel der Windmühlen ab, während man bei Wassermühlen auf eine Kombination von Motor und Wasserrad setzte.

Das Aufkommen von mit moderner Mühlentechnik ausgestatteten Großmühlen seit dem 19. Jahrhundert verdrängte die traditionellen kleinen Müllereibetriebe und führte zum sog. Mühlensterben. Dabei waren es die kleinen, wenig leis-

Wasserkraftwerk und Lechmuseum der LEW in Langweid am Lech.

tungsstarken Windmühlen, die zuerst aufgegeben wurden. Forciert wurde dieser Prozess durch die billigen Mehl- und Getreideimporte aus den USA und das „Gesetz über die Errichtung, Inbetriebnahme, Verlegung, Erweiterung und Finanzierung der Stilllegung von Mühlen" („Mühlengesetz") vom 27. Juni 1957.

Heutzutage werden viele der alten Mühlen mit ihrem historischen Charme ausschließlich touristisch genutzt. In einigen Mühlen, beispielsweise in der Bläsismühle in Heitlern oder der Unteren Mühle in Thierhaupten, richtete man Mühlenmuseen ein; andere, etwa die Schlossmühle in Liebenthann oder die Alte Mühle in Kirchdorf, dienen als Ferienwohnungen.

KATRIN BREU

Die Schlossmühle Liebenthann, 2011 mit dem Denkmalpreis des Bezirks Schwaben ausgezeichnet.

13. Dr Müller vo Egg hat siebazeh Beck

Mühlenlieder in schwäbischen Liedaufzeichnungen

Dr Müller von Egg

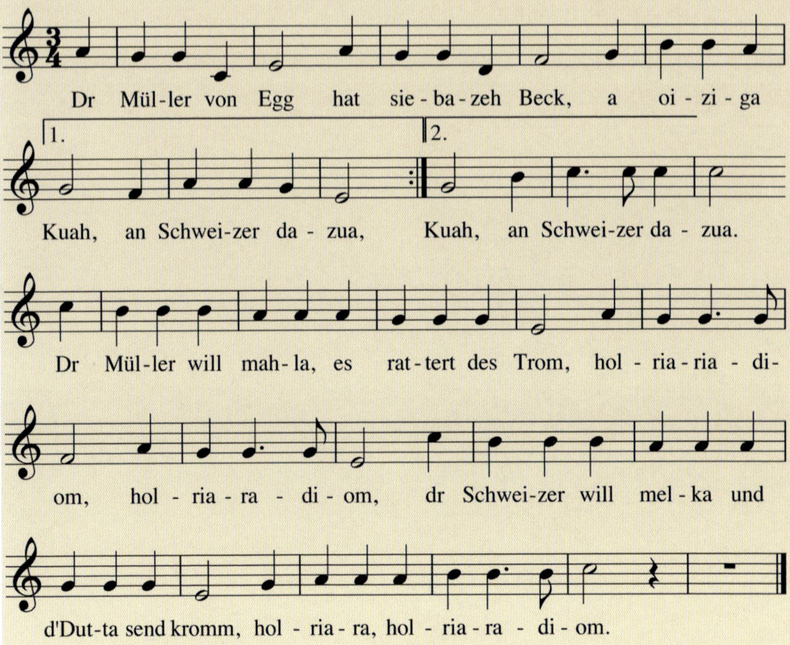

*Vorgesungen von Georg Niederwieser, (*1901), Bauer aus Unterwiesenbach.*
Aufgezeichnet 1985 von Dagmar Held.

„Es klappert die Mühle am rauschenden Bach", „Das Wandern ist des Müllers Lust", „In einem kühlen Grunde, da geht ein Mühlenrad" – die romantischen Volkslieder des 19. Jahrhunderts sind auch heute noch bekannt und vielgesungen. Sie können als Beleg dafür dienen, dass die Arbeitswelt des Müllers bereits vor 200 Jahren romantisch überzeichnet wurde. Ein anderes Bild des Müllerhandwerks zeigt sich, wenn man Lieder aus der volkskundlichen Liedaufzeichnung betrachtet. Dies sei an drei kleinen Beispielen gezeigt, die Dagmar Held vom Volksmusikarchiv in Schwaben und die Lehrerin Gertraud Gerich Ende der 1980er-Jahre bei Gewährsleuten in Bayerisch Schwaben dokumentieren konnten.

Dr Müller von Egg

Dr Müller vo Egg / hat siebazeh Beck,
a oiziga Kuah, / an Schweizer dazua.
Dr Müller will mahla, / es rattrat des Tromm, / hol-ria-ria-di-om.
Dr Schweizer will melka, / dia Dutta send kromm, / hol-ria-ra, hol-ria-ra-di-om.

Georg Niederwieser (* 1901), Landwirt aus Oberwiesenbach bei Krumbach, sang Dagmar Held diesen Spottvers vor. Sie schreibt dazu: „Herr Niederwieser spielte ... eine kleine zweireihige Ziehharmonika und hatte sichtlich Vergnügen beim Singen solcher spöttischer Vierzeiler, von denen er noch mehr auf Lager hatte. [...]. Eine ältere Dame, die auf der nahegelegenen Mühle in Oberegg aufwuchs, berichtete mir,

Georg Niederwieser hätte diesen Vers selbst gedichtet, um sich am Müller zu rächen, der ihm die von ihm umschwärmte Müllerstochter verweigert hatte. Er war ja schließlich nur ein armer Bauernsohn."[1]

Oh, du verzweifelts Milililil

Schon in der 1852 von Ernst Meier herausgegebenen Sammlung „Schwäbische Volkslieder" findet sich das Lied vom verzweifelten bzw. verdammten „Müllerle", dessen Arbeit von stets unterschiedlichen Wasserständen abhängig ist: „Bald isch des Wasser z'groaß und gibt der Mühl an Stoaß. Bald isch des Wasser z'kloi, bald fehlt es an de Stoi." Das Lied wurde in Varianten in verschiedenen Gegenden des schwäbisch-alemannischen Sprachraums aufgezeichnet. In Oberringingen im Kesseltal (Lkr. Dillingen) trug es der „Pfeifabauer" Xaver Reiter (* 1902) vor. In seiner Version herrschen auf der Mühle unsittliche Verhältnisse („Bald fehlts am Wasserrad, bald schlauft dr Knecht bei dr Magd"), und auch das Klischee des betrügerischen Müllers kommt vor („Bald stiehlt er am Bauer 's Kora, bald nimmt er da Ochs beim Hora"). Das Lied eignet sich besonders für den lautmalerischen Vortrag: „Beim Singen des ‚Milililil' variierte er [der Pfeifabauer] im Tempo und imitierte so akustisch das Plätschern des Wassers übers Mühlrad."[2]

Es war amol a Müllerin

Die Schwankballade handelt von einem Ehestreit bei Müllersleuten. Belegt ist sie seit dem 15. Jahrhundert und war anscheinend noch in der Zeit des Ersten Weltkriegs in einer Fassung als Marschlied weit verbreitet. So wurde sie auch in Oberringingen aufgezeichnet. Doppeldeutig ist der Vorgang des Mahlens, wenn die Müllerin dem Müller den Einlass in die Mühle mit den Worten verweigert: „Ich steh nicht auf, lass dich nicht rein, ... denn ich hab heut Nacht gemahlen, mit zwei so wunderschönen Knaben, kann besser mahl'n als du." Dass Lieder mit anzüglichem Inhalt oft in einer Mühle spielen, mag mit der Lage an Gewässern, meist außerhalb der geschlossenen Ortschaft, zu tun haben. Das Leben entzog sich somit der gesellschaftlichen Kontrolle, weshalb man dort ein freizügiges Treiben vermutete.

Christoph Lambertz

1 Dagmar Held: Seine Augen glänzen silbergrün... Lieder und Geschichten von unheimlichen Wassermännern, klappernden Mühlen und stolzen Müllerinnen..., in: Augsburger Volkskundliche Nachrichten, 18. Jg. (2012), S. 98.
2 Ebd., S. 99.

14. Die Münzmühle in Gundelfingen an der Donau

(Mahlmühle, Walkmühle, Münzstätte)

Das Anwesen Bahnhofstraße 6 (alte Haus-Nr. 407, Flur-Nr. 576) besteht aus einem Wohnhaus und der sog. „Münzmühle", einem denkmalgeschützten Bau-Ensemble, das Ende des 18. Jahrhunderts errichtet wurde. Dazu gehören noch Wirtschaftsgebäude. Das Stallgebäude ist ein Satteldachbau mit Giebel wie am Hauptgebäude und Profilgesimsen. Westlich davon steht ein Scheunenbau mit gleichem Giebel und Stichbogentor. Nördlich vom Wirtschaftshof befindet sich ein Scheunen- und Wohnbau mit Walmdach, ebenfalls aus dem Ende des 18. Jahrhunderts.

Die auf einer Insel zwischen zwei Armen der Brenz eingebettet liegende Münzmühle ist die größte und älteste der Gundelfinger Mühlen. 1276 wurde sie urkundlich erwähnt und noch „Keckenmul"[1] genannt, um 1450 wegen ihrer Lage zwischen der Oberen und der Unteren Mühle „Mitter Mul", um 1605 wegen der nebenbei betriebenen Walkerei „Walckmuhl", 1685 „Bayr Muhl" und 1722 „Bayr-" oder „Münz Mühl".

Während des Fürsten- und Städtekriegs wurde sie 1377 durch einen Brand zerstört, jedoch gleich danach wieder errichtet. Mit Urkunde vom 27. Februar 1405 verlieh Graf Eberhart von Württemberg die Mühle gegen eine jährliche Gilt an den Rat der Stadt Gundelfingen.[2] 1621/22 richtete man in der Mühle eine pfalzneuburgische Münzstätte ein, weshalb sie dann später auch den Namen „Münzmühle" trug. 1945 wurde sie kurz vor Kriegsende durch die Sprengung der beiden

Brenzbrücken so stark beschädigt, dass das Dach vollständig abgedeckt wurde, sämtliche Fensterscheiben zerbarsten und große Risse im Mauerwerk entstanden. 1972 stellte man den Betrieb der Mühle ein, führte allerdings die Landwirtschaft weiter.
Sie war an sich eine Getreidemühle, wurde jedoch auch als Walkmühle genutzt. Sie allein hatte schon sechs von den 19 in Gundelfingen betriebenen Mahlgängen und besaß auch sechs Wasserräder zu deren Antrieb. 1870 wurden die Wasserräder durch eine Turbine ersetzt. Im Lauf der Zeit tauschte man dreimal die jeweilige Turbine durch eine modernere und leistungsfähigere aus. Die Mahlgänge ersetzte man durch Walzenstühle. Im Einsatz waren drei in den 1920er Jahren gebaute Walzenstühle der Firma Seck/Dresden. Im Walzenstuhl wurde das Korn in bis zu 16 sog. „Passagen" gemahlen und anschließend zum Plansichter weitergeleitet. Je nach Einstellung und Anzahl der Passagen erzeugte man Mehl, Dunst, Gries oder Schrot. Das Abfallprodukt, die Kleie, wurde als Tierfutter verwendet.
Seit 1876 ist die Münzmühle im Besitz der Familie Sailer. Die Mühle wird heute zur Stromerzeugung genutzt, wobei zwei Francis-Turbinen durchschnittlich 20 kW/h an Leistung erbringen.

GEORG ABRÖLL

1 Möglicherweise von „Keckwasser" = lebendiges, fließendes Wasser, Flusswasser, Quellwasser.
2 Stadtarchiv Gundelfingen an der Donau, Perg.-Urk. Nr. 21.

Die Münzmühle in Gundelfingen an der Donau, 1997.

15. Kleine Mühlenkunde

Beutel: vibrierender Schlauch zum Sieben des Mahlguts.

Beutelwerk: Vorrichtung zum Sieben des Mahlguts.

Bodenstein: unterer Mahlstein.

Gosse: Trichter zur Getreidezufuhr in den Läuferstein.

Hammerschmiede: Mühle, die Hämmer zum Schmieden von Metall bewegt.

Kammrad: Zahnrad, auf das die Welle die Drehung des Wasserrads überträgt.

Kunstmühle: durch Dampfmaschinen oder Turbinen angetrieben.

Läuferstein: oberer Mahlstein.

Lohmühle: Mühle zur Herstellung von Lohe aus Baumrinden durch Stampfen zur Gerbung.

Mittelschlächtig: dem Wasserrad wird das Wasser auf halber Höhe zugeführt.

Mühle: auch im Sinne von „Maschine" verwendet (vgl. im Englischen „mill" = Mühle, Fabrik, speziell Spinnerei und Weberei, Walzwerk).

Mühlenbann/-zwang: grundherrliches Gewerbebannrecht.

Mühlordnung: rechtliche Dokumente für den ordentlichen Betrieb einer Mühle.

Oberschlächtig: dem Wasserrad wird das Wasser von oben zugeführt.

Ölmühle: Mühle zur Herstellung von Pflanzenölen aus Ölsaaten und -früchten.

Pansterrad: bei Hebung und Senkung von Rad und Wellbaum.

Plansichter: Siebvorrichtung seit dem 19. Jahrhundert.

Pleumühle: Mühle zum Brechen von Hanf und Flachs.

Rüttelschuh: zur Regulierung der Getreidezufuhr in den Läuferstein.

Säg(e)mühle: Mühle, die Maschinen zur Verarbeitung von Holz antreibt.

Schleifmühle: Mühle zum Schleifen von Werkstoffen (z. B. Naturstein oder Glas) oder zum Schärfen von Werkzeugen (Messer, Axt etc.).

Unterschlächtig: dem Wasserrad wird das Wasser von unten zugeführt.

Vorkasten: Teil des Beutelwerks, in das das ausgesiebte Gut fällt.

Walkmühle: Mühle zum Stampfen von Tuchen zur Herstellung, Verdichtung und Veredelung.

Walzstuhl: vertikaler Mahlvorgang seit dem 19. Jahrhundert.

Welle/Wellbaum: überträgt die Drehung des Wasserrads auf ein Zahnrad.

Zarge/Larve: Mantel unter den Mahlsteinen zum Auffangen des Mahlguts.

KATRIN BREU

Archivalien und Literatur

Mühlen in Schwaben

Peter Fassl (Hrsg.): Flüsse und Gewässer in Schwaben. Fotoausstellung der Heimatpflege des Bezirks Schwaben. Ausstellungskatalog, Augsburg 2015.
Ders.: Flüsse und Gewässer als prägendes Raumelement der schwäbischen Geschichte. Eine Skizze, in: Schätze der Welt aus landeshistorischer Perspektive. Festschrift zum 65. Geburtstag von Wolfgang Wüst, St. Ottilien 2018, S. 713–718.

Vom Wasserrad zur Turbine

Joachim Varchmin, Joachim Radkau: Kraft, Energie und Arbeit. Energie und Gesellschaft, Hamburg 1981.
Wilhelm Ruckdeschel: Kraftwerke, Mühlen, Wassertürme. Technische Denkmale im Landkreis Augsburg, Augsburg 1998.

Mühlentechnik

Konrad Bedal: Die altdeutsche Mühle. Mühlentechnik der vorindustriellen Zeit in Franken, in: ebd.: Mühlen und Müller in Franken, 2., unveränderte und wesentlich erweiterte Aufl., Bad Winsheim: Verlag Fränkisches Freilandmuseum 1992, S. 28–73.
Ernst, Eugen: Mühlen im Wandel der Zeiten, Stuttgart 2005.
Rüdinger, Torsten / Oppermann, Philipp: Kleine Mühlenkunde. Deutsche Technikgeschichte vom Reibstein zur Industriemühle, Berlin 2010.

Brückenmühlen

Bernhard Ehrhart: Brückenmühlen und Mühlenbrücken im europäischen Vergleich, in: Jahrbuch des Historischen Vereins Dillingen an der Donau, 108. Jahrgang, 2007, S. 251–256.

Schiff(s)mühlen

Staatsarchiv Augsburg, BA 280 Neu-Ulm (Pläne der Trassmühle).
Heinrich Ernst: Anweisung zum praktischen Mühlenbau, Leipzig 1805 (daraus auch die Abb.).
Eugen Ernst, : Mühlen im Wandel der Zeiten, Stuttgart 2005.
Albert Haug: Mühlen an Roth und Biber, in: Jahrbuch des Landkreises Neu-Ulm. Geschichte im Landkreis Neu-Ulm, 12. Jg., Neu-Ulm 2006, S. 73–111.

Mühlenrecht

Josef Heider: Die Mühlen im Landvogtamt Neuburg und ihre Geschichte (mit einem einleitenden Kapitel über die Mühlen in der Rechtsgeschichte), in: Schwäbische Blätter für Heimatpflege und Volksbildung, Heft 1, 14. Jg., 1963, S. 1 ff.
Ders.: Mühlen und Müllergewerbe in Altbayern und Schwaben mit besonderer Berücksichtigung ihrer Rechtsgeschichte, in: Schwäbische Blätter für Heimatpflege und Volksbildung, Heft 1, 16. Jg., 1965, S. 1–26.

Mühlenordnungen

Hauptstaatsarchiv München, Abt. I, Allgemeines Staatsarchiv, Hochstift Augsburg – Neuburger Abgabe – Akt 567.

Staatsarchiv Augsburg, KL Ursberg Lit. 71; Copialbuch Lit. B 1418–1772.

Staatsarchiv München, Akten, F c II 22, ohne folio, Handwerksordnung der Müller von 1770.

Josef Heider: Mühlen und Müllergewerbe in Altbayern und Schwaben mit besonderer Berücksichtigung ihrer Rechtsgeschichte, in: Schwäbische Blätter für Heimatpflege und Volksbildung, Heft 1, 16. Jg., 1965, S. 1–26.

Wolfgang Wüst: Die „gute" Policey im Reichskreis. Zur frühmodernen Normensetzung in den Kernregionen des Alten Reiches. Bd. 1: Die „gute" Policey im Schwäbischen Reichskreis, unter besonderer Berücksichtigung Bayerisch-Schwabens, Berlin 2001, hier S. 424: C. Die weltlichen Staaten, 1. Die Reichsstände, Nr. 16: Burgau, Markgrafschaft / Vorderösterreich: Polizeiordnung für die Stadt Burgau vom 7. Oktober 1597, Von müllern.

Mühlen in der Antike und im Frühmittelalter

Georg Abröll: Mühlen der Röm. Kaiserzeit in Günzburg (Gem. Günzburg), aus: Bezirksheimatpflege Schwaben (Hrsg.): Mühlen in Schwaben (Dokumentation). URL: http://heimatpflege.bezirk-schwaben.de/dokumentationen/muehlen-in-schwaben/detailansicht/muehlendoku/336 (letzter Aufruf: 21.3.2017).

Wolfgang Czysz: Die ältesten Wassermühlen. Archäologische Entdeckungen im Paartal bei Dasing (Sonderausstellung des Klostermühlenmuseums Thierhaupten 1998), Thierhaupten 1998.

Eugen Ernst: Mühlen im Wandel der Zeiten, Stuttgart 2005.
Torsten Rüdinger / Philipp Oppermann: Kleine Mühlenkunde. Dt. Technikgeschichte vom Reibstein zur Industriemühle, Berlin 2010.

Mühlen im Mittelalter

Georg Abröll: Papiermühle in Kaufbeuren (Gem. Kaufbeuren), aus: Bezirksheimatpflege Schwaben (Hrsg.): Mühlen in Schwaben (Dokumentation). URL: http://heimatpflege.bezirk-schwaben.de/dokumentationen/muehlen-in-schwaben/detailansicht/muehlendoku/960 (letzter Aufruf: 21.3.2017).
Ders.: Geswellmühle in Adelzhausen (Gem. Adelzhausen), aus: Bezirksheimatpflege Schwaben (Hrsg.): Mühlen in Schwaben (Dokumentation). URL: http://heimatpflege.bezirk-schwaben.de/dokumentationen/muehlen-in-schwaben/detailansicht/muehlendoku/177 (letzter Aufruf: 21.3.2017).
Ders.: Mathesmühle in Gosheim (Gem. Huisheim), aus: Bezirksheimatpflege Schwaben (Hrsg.): Mühlen in Schwaben (Dokumentation). URL: http://heimatpflege.bezirk-schwaben.de/dokumentationen/muehlen-in-schwaben/detailansicht/muehlendoku/873 (letzter Aufruf: 21.3.2017).
Eugen Ernst: Mühlen im Wandel der Zeiten, Stuttgart 2005.
Johann Georg Krünitz / Friedrich Jakob Floerken / Heinrich Gustav Flörke: D. Johann Georg Krünitz's ökonomisch=technologische Encyklopädie, oder allgemeines System der Staats=, Stadt=, Haus= und Landwirthschaft, und der Kunst=Geschichte, in alphabetischer Ordnung, Bd. 95, Berlin 1804.
Torsten Rüdinger / Philipp Oppermann: Kleine Mühlenkunde. Deutsche Technikgeschichte vom Reibstein zur Industriemühle, Berlin 2010.

Mühlen in der Frühen Neuzeit

Georg Abröll: Erkheimer Mühle (Gem. Erkheim), aus: Bezirksheimatpflege Schwaben (Hrsg.): Mühlen in Schwaben (Dokumentation). URL: http://heimatpflege.bezirk-schwaben.de/dokumentationen/muehlen-in-schwaben/detailansicht/muehlendoku/359 (letzter Aufruf: 21. 3. 2017).
Ders.: Riedmühle in Hausen (Gem. Ellzee), aus: Bezirksheimatpflege Schwaben (Hrsg.): Mühlen in Schwaben (Dokumentation). URL: http://heimatpflege.bezirk-schwaben.de/dokumentationen/muehlen-in-schwaben/detailansicht/muehlendoku/321 (letzter Aufruf: 21.3.2017).
Ders.: Untere Mühle und Nudelfabrik in Bobingen (Gem. Bobingen), aus: Bezirksheimatpflege Schwaben (Hrsg.): Mühlen in Schwaben (Dokumentation). URL: http://heimatpflege.bezirk-schwaben.de/dokumentationen/muehlen-in-schwaben/detailansicht/muehlendoku/914 (letzter Aufruf: 21. 3. 2017).
Eugen Ernst: Mühlen im Wandel der Zeiten, Stuttgart 2005.
Torsten Rüdinger / Philipp Oppermann: Kleine Mühlenkunde. Deutsche Technikgeschichte vom Reibstein zur Industriemühle, Berlin 2010.

Mühlen und Wasserenergie im 19. und 20. Jahrhundert

Georg Abröll: Singoldmühle in Honsolgen (Gem. Buchloe), aus: Bezirksheimatpflege Schwaben (Hrsg.): Mühlen in Schwaben (Dokumentation). URL: http://heimatpflege.bezirk-schwaben.de/dokumentationen/muehlen-in-schwaben/detailansicht/muehlendoku/890 (letzter Aufruf: 21. 3. 2017).
Ders.: Wennenmühle in Alerheim (Gem. Alerheim), aus: Bezirksheimatpflege Schwaben (Hrsg.): Mühlen in Schwaben (Dokumen-

tation). URL: http://heimatpflege.bezirk-schwaben.de/dokumentationen/muehlen-in-schwaben/detailansicht/muehlendoku/978 (letzter Aufruf: 21. 3. 2017).

Ders.: Bläsismühle mit Sägewerk in Heitlern (Gem. Pfronten), aus: Bezirksheimatpflege Schwaben (Hrsg.): Mühlen in Schwaben (Dokumentation). URL: http://heimatpflege.bezirk-schwaben.de/dokumentationen/muehlen-in-schwaben/detailansicht/muehlendoku/928 (letzter Aufruf: 21. 3. 2017).

Ders.: Untere Mühle in Thierhaupten (Gem. Thierhaupten), aus: Bezirksheimatpflege Schwaben (Hrsg.): Mühlen in Schwaben (Dokumentation). URL: http://heimatpflege.bezirk-schwaben.de/dokumentationen/muehlen-in-schwaben/detailansicht/muehlendoku/258 (letzter Aufruf: 21. 3. 2017).

Ders.: Schlossmühle in Liebenthann (Gem. Obergünzburg), aus: Bezirksheimatpflege Schwaben (Hrsg.): Mühlen in Schwaben (Dokumentation). URL: http://heimatpflege.bezirk-schwaben.de/dokumentationen/muehlen-in-schwaben/detailansicht/muehlendoku/348 (letzter Aufruf: 21. 3. 2017).

Ders.: Alte Mühle in Kirchdorf (Gem. Bad Wörishofen), aus: Bezirksheimatpflege Schwaben (Hrsg.): Mühlen in Schwaben (Dokumentation). URL: http://heimatpflege.bezirk-schwaben.de/dokumentationen/muehlen-in-schwaben/detailansicht/muehlendoku/377 (letzter Aufruf: 21. 3. 2017).

Eugen Ernst: Mühlen im Wandel der Zeiten, Stuttgart 2005.

Gesetz über die Errichtung, Inbetriebnahme, Verlegung, Erweiterung und Finanzierung der Stillegung von Mühlen (Mühlengesetz), in: Bundesgesetzblatt, Jg. 1957, Teil 1, Nr. 29 (4. Juli 1957), S. 664-666.

Torsten Rüdinger / Philipp Oppermann: Kleine Mühlenkunde. Deutsche Technikgeschichte vom Reibstein zur Industriemühle, Berlin 2010.

Dr Müller vo Egg hat siebazeh Beck

Dagmar Held: *Seine Augen glänzen silbergrün...* Lieder und Geschichten von unheimlichen Wassermännern, klappernden Mühlen und stolzen Müllerinnen..., in: Augsburger Volkskundliche Nachrichten, 18. Jg. (2012).
Armin Griebel: Mühle, Müller und Müllerin im Lied, in: Volksmusik in Bayern. Mitteilungsblatt der Volksmusikberatungsstellen des Bayerischen Landesvereins für Heimatpflege e. V., 25. Jg. (2008), S. 33 bis 40.
Hörbeispiele aus den Feldforschungsaufnahmen und vollständige Notenblätter sind im Volksmusik-Blog des Bayerischen Landesvereins für Heimatpflege e. V. zu finden: www.volksmusik-magazin.de/dr-mueller-vo-egg/.

Die Münzmühle in Gundelfingen an der Donau

Stadtarchiv Gundelfingen an der Donau, Perg.-Urk. Nr. 21.
Die Kunstdenkmäler von Schwaben, VII. Landkreis Dillingen an der Donau, bearbeitet von Werner Meyer, München 1972 (= Die Kunstdenkmäler von Bayern, herausgegeben vom Landesamt für Denkmalpflege, Regierungsbezirk Schwaben, hrsg.herausgegeben von Torsten Gebhard, VII. Landkreis Dillingen an der Donau), S. 340/341.
Denkmäler in Bayern (Ensembles, archäologische Geländedenkmäler), hrsg.herausgegeben von Michael Petzet, Band Bd. 7: Schwaben, bearbeitet von Bernd-Peter Schaul, Luftaufnahmen von Otto Braasch, München 1986, S. 152.
Internet: www.muenzmuehle.de.